- ЭРЖЕ -

ПРИКЛЮЧЕНИЯ ТАНТАНА

7 ХРУСТАЛЬНЫХ ШАРОВ

Перевели с французского Клод Керодрен и Артем Энглин

КАСТЕРМАН

afrikaans:	HUMAN & ROUSSEAU	Le Cap
allemand:	CARLSEN	Hamburg
alsacien:	CASTERMAN	Paris/Tournai
anglais:	METHUEN	Londres
	LITTLE BROWN	Boston
arabe:	DAR AL-MAAREF	Le Caire
asturien:	JUVENTUD	Barcelone
basque:	ELKAR	San Sebastian
bengali:	ANANDA	Calcutta
bernois:	EMMENTALER DRUCK	Langnau
breton:	AN HERE	Quimper
catalan:	JUVENTUD	Barcelone
chinois:	EPOCH PUBLICITY AGENCY	Taipei
coréen:	COSMOS	Séoul
danois:	CARLSEN	Copenhague
espagnol:	JUVENTUD	Barcelone
espéranto:	ESPERANTIX	Paris
	CASTERMAN	Paris/Tournai
féroïen:	DROPIN	Thorshavn
finlandais:	OTAVA	Helsinki
français:	CASTERMAN	Paris/Tournai
galicien:	JUVENTUD	Barcelone
gallois:	GWASG Y DREF WEN	Cardiff
grec:	MAMOUTH	Athènes
hébreu:	MIZRAHI	Tel Aviv
hongrois:	IDEGENFORGALMI	Budapest
indonésien:	INDIRA	Djakarta
iranien:	UNIVERSAL EDITIONS	Téhéran
islandais:	FJÖLVI	Reykjavik
italien:	COMIC ART	Rome
japonais:	FUKUINKAN	Tokyo
latin:	ELI/CASTERMAN	Recanati/Paris-Tournai
luxembourgeois:	IMPRIMERIE SAINT-PAUL	Luxembourg
malais:	SHARIKAT UNITED	Pulau Pinang
néerlandais:	CASTERMAN	Dronten-Tournai
norvégien:	SEMIC	Oslo
occitan:	CASTERMAN	Paris/Tournai
picard tournaisien:	CASTERMAN	Paris/Tournai
portugais:	VERBO	Lisbonne
romanche:	LIGIA ROMONTSCHA	Cuira
russe:	CASTERMAN	Paris/Tournai
serbo-croate:	DECJE NOVINE	Gornji Milanovac
suédois:	CARLSEN	Stockholm
thaï:	DUANG-KAMOL	Bangkok

ISBN 2-203-00907-1

7 ХРУСТАЛЬНЫХ ШАРОВ

ЧЕРЕЗ ДВА ГОДА
ЭКСПЕДИЦИЯ САНДЕРС-ХАРДМУТА
ВЕРНУЛАСЬ В ЕВРОПУ
Участники этнографической экспедиции профессора Сандерс-Хардмута, вернувшиеся из долгого путе-
шествия по Боливии и Перу, пола-
гают, что потратили время не зря.
В районах, считавшихся ранее не-
доступными, исследователи обнаружили гробницы древних инков. В од-
ной из них была даже найдена
мумия в "борло"-так на языке инков
назывался царский убор, сделанный
из чистого золота. Расшифровав надписи на стенах гробницы, ученые уста-
новили, что это мумия Раскар Капака
Все это плохо кончится, вот увидите...
?
Что плохо кончится?
Да вся эта история с мумией... Вспомните Тутанхамона, молодой человек!..
Надеюсь, вы помните, что все египтологи, забрав-шиеся в могилу этого фа-раона, погибли загадоч-ной смертью... Уверен, та же участь ожидает и на-ших осквернителей могил, потревоживших покой царя инков...
Вы так дума-ете?..
Я в этом убежден!.. Скажите на милость, ну почему мы не ос-тавляем могилы этих людей в по-кое?!.. Как, по-вашему, что бы мы поду-мали, если бы египтяне или перуан-цы приехали сюда и начали раскапы-вать могилы наших королей?..Что бы мы сказали в этом случае, а?..
Действительно...
Однако... Извините, но я вижу, что уже приехал. Это моя станция.
МУЛЕНС
ВЫХОД

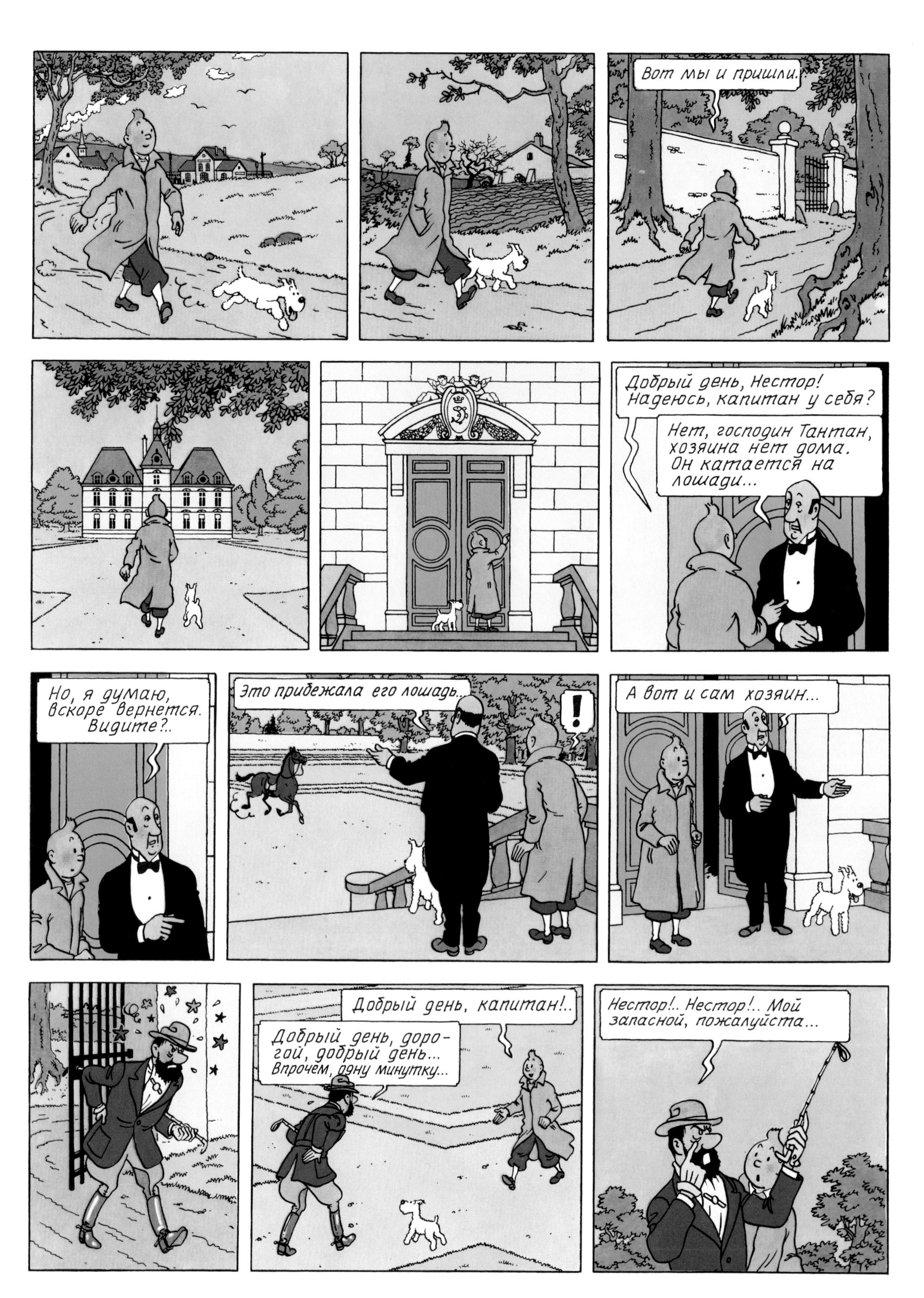
Вот мы и пришли.
Добрый день, Нестор! Надеюсь, капитан у себя?
Нет, господин Тантан, хозяина нет дома. Он катается на лошади...
Но, я думаю, вскоре вернется. Видите?..
Это прибежала его лошадь...
!
А вот и сам хозяин...
Добрый день, капитан!..
Добрый день, дорогой, добрый день... Впрочем, одну минутку...
Нестор!.. Нестор!.. Мой запасной, пожалуйста...

Вот он, господин...
Благодарю вас...
Но... Клянусь, это Тантан! Дорогой друг, как я рад вас видеть!
Каким ветром вас сюда занесло?..
Вдруг захотелось повидать вас и профессора Лакмуса... Как он, кстати, поживает?
О, прекрасно!.. Да вот и он сам... Как видите, по-прежнему увлечен своим маятником... Последнее время вбил себе в голову, что где-то в окрестностях находится могила одного из первых королей династии Меровингов и твердо решил ее отыскать...
Добрый день, господин Лакмус!
Кто?.. Ах это вы, дорогой Тантан!.. Какой приятный сюрприз!
Надеюсь, вы проведете у нас несколько дней?
Увы! Сегодня же вечером мне необходимо уехать...
Вот и отлично! Вот и отлично! Вы не можете себе представить, как меня это радует!
Встретимся вечером!.. А сейчас, извините, я продолжу поиск...
Пусть себе занимается своими делами, а мы с вами, мой друг, пойдем и выпьем по коктейлю...
Кстати, о коктейлях... Спасибо, что напомнили!
!
Следуйте за мной. Сейчас вы увидите нечто необыкновенное!

Прошу вас сюда...
!!!
!!!
?
Браво, Нестор, браво!

ГАВВВ! ГАВВВ!
Гаввв!.. Гаввв!..
ФРРР
ГАВВВ
ГРР
ПШШШ
Смотри, что ты наделал, негодяй!.. Как тебе не стыдно!..
Оставьте его в покое, не стоит терять время...
Вы будете свидетелем неслыханного, невероятного!..
Сюда, это здесь.
А теперь, дорогой мой, откройте пошире глаза.
Сначала заменим монокль...
Итак... Смотрите, смотрите! Первым делом я наливаю чистую воду в бокал... Повторяю — чистую воду...
Затем... Максимум внимания!
Я приступаю...
Взгляните! Этот картонный цилиндр пуст... Правильно?.. Внутри ничего нет, вы согласны?
Вы правы, он пустой...

Отлично!.. Я накрываю цилиндром бокал, в котором... в котором находится что?..
Вода.
Совершенно верно, вода... Теперь прошу тишины! Внимание! Пригото вились!
!!!
Хоп!
Готово!.. А теперь, мой друг, скажите, что находится в бокале под цилиндром?
Что в нем?.. Конечно, вода!
Вода?!.. ХА-ХА-ХА-ХА-ХА!.. Это просто смешно!.. ХА-ХА-ХА-ХА!.. Извините, не могу не смеяться!.. ХА-ХА-ХА-ХА!.. А ну-ка, поднимите цилиндр...
ХА-ХА-ХА-ХА-ХА!.. Вода!.. ХО-ХО-ХО-ХО!.. ХА-ХА-ХА-ХА!..
ХА-ХА-ХА-ХА!..
ХО-ХО-ХО-ХО!..
?
ХА-ХА-ХА-ХА-ХА!..
Извините, капитан, возможно я что-то недопонял, но в этом бокале по-прежнему чистая вода...
Вода?!.. О чем вы говорите?.. Вода?!.. Да вы просто решили уморить меня со смеху!
Тысяча миллионов тысяч миллиардов тысяч лафетов! Гром и молния, это действительно вода!

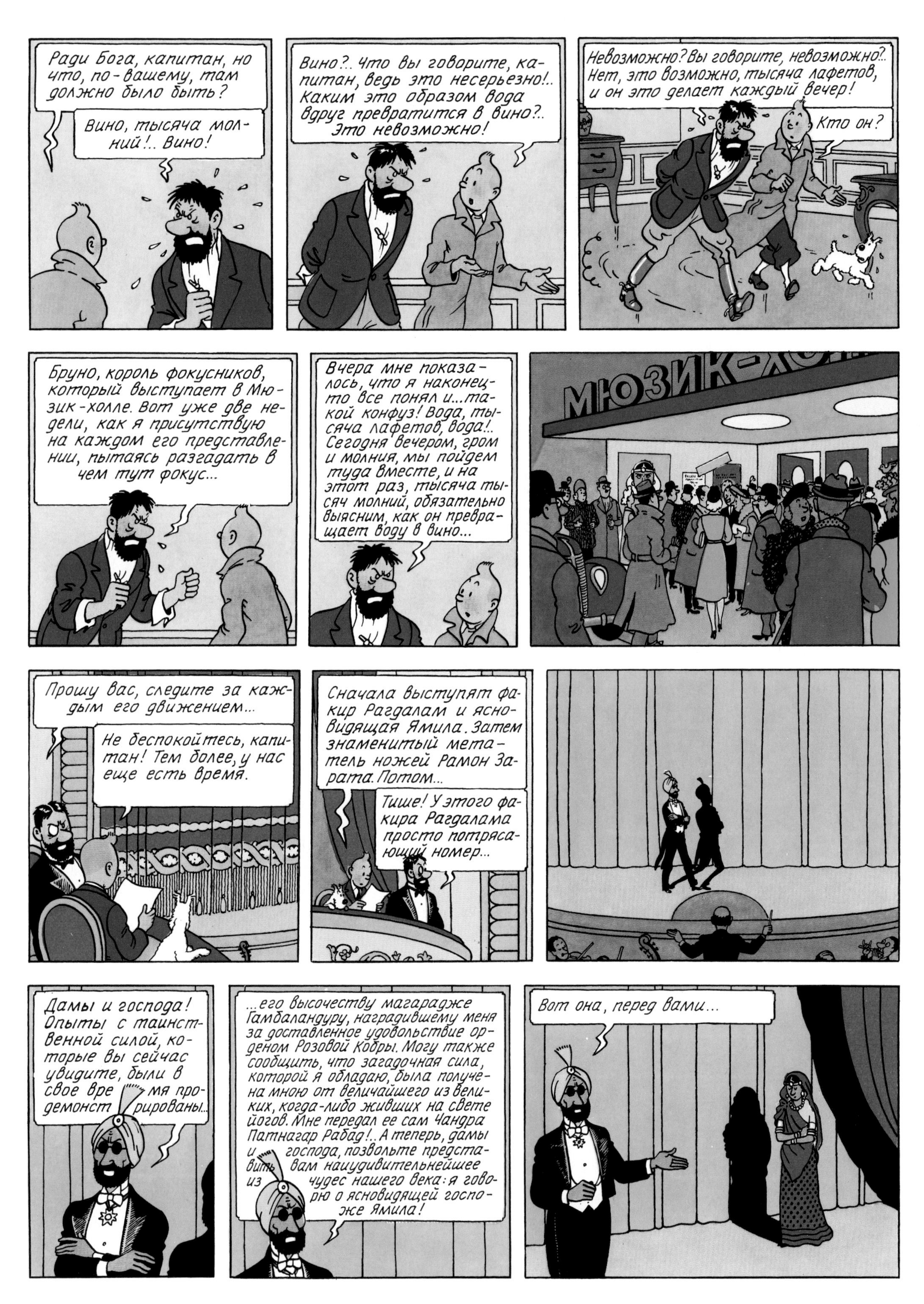
Ради Бога, капитан, но что, по-вашему, там должно было быть?
Вино, тысяча молний!.. Вино!
Вино?.. Что вы говорите, капитан, ведь это несерьезно!.. Каким это образом вода вдруг превратится в вино?.. Это невозможно!
Невозможно? Вы говорите, невозможно?.. Нет, это возможно, тысяча лафетов, и он это делает каждый вечер!
Кто он?
Бруно, король фокусников, который выступает в Мюзик-холле. Вот уже две недели, как я присутствую на каждом его представлении, пытаясь разгадать в чем тут фокус...
Вчера мне показалось, что я наконец-то все понял и...такой конфуз! Вода, тысяча лафетов, вода!.. Сегодня вечером, гром и молния, мы пойдем туда вместе, и на этот раз, тысяча тысяч молний, обязательно выясним, как он превращает воду в вино...
МЮЗИК-ХОЛ
Прошу вас, следите за каждым его движением...
Не беспокойтесь, капитан! Тем более, у нас еще есть время.
Сначала выступят факир Рагдалам и ясновидящая Ямила. Затем знаменитый метатель ножей Рамон Зарата. Потом...
Тише! У этого факира Рагдалама просто потрясающий номер...
Дамы и господа! Опыты с таинственной силой, которые вы сейчас увидите, были в свое время продемонстрированы...
...его высочеству магараджe Гамбаландуру, наградившему меня за доставленное удовольствие орденом Розовой Кобры. Могу также сообщить, что загадочная сила, которой я обладаю, была получена мною от величайшего из великих, когда-либо живших на свете йогов. Мне передал ее сам Чандра Патнагар Рабад!.. А теперь, дамы и господа, позвольте представить вам наиудивительнейшее из чудес нашего века: я говорю о ясновидящей госпоже Ямила!
Вот она, перед вами...

Сначала я должен загипнотизировать госпожу Ямила...
Госпожа Ямила, готовы ли вы отвечать?
Да, сагиб...
Отлично... Можете ли вы, госпожа Ямила, сказать мне, как зовут этого господина?
Серафим...
Она права, уважаемый?
Пра... Пра... Правильно!
Прекрасно... Скажите нам, госпожа Ямила, что находится в сумке этой дамы?
Связка ключей... Записная книжка... Носовой платок... Пудреница... Паспорт...
Можете ли вы назвать его номер, госпожа Ямила?
Тридцать восемь тысяч сто двадцать пять...
Совершенно верно!
Потрясающе, а?..
Госпожа Ямила, скажите, замужем ли эта дама в третьем ряду?
Да, она замужем.
Хорошо... А теперь назовите профессию ее мужа...
Кинематографист.
Это верно, мадам?
Да, правильно.
Я его вижу... Он только что вернулся из далекой южной страны... Но... Но... С ним происходит что-то ужасное... Он болен... Он страдает... Я не понимаю, что случилось...

Какая глупая, бестактная шутка! Мой муж абсолютно здоров!.. Вы сошли с ума!..
От этой болезни нет спасения!.. О, как страшен гнев бога Солнца, как тяжко его проклятие!..
ОЙЙЙЙЙ!
!
Уважаемые дамы и господа! К сожалению, я вынужден прервать наше представление ради короткого, но срочного сообщения. Госпожу Клермонт, присутствующую в зале, просят немедленно вернуться домой, в связи с внезапной и серьезной болезнью ее мужа!
Вот тебе и на!.. Не может быть! Все это подстроено!..
Не думаю... Клермонт — фамилия кинооператора, который сопровождал экспедицию Сандерс-Хардмута...
Дамы и господа! Инцидент, которому вы только что были свидетелями, травмировал госпожу Ямила, и она вынуждена прервать свое выступление. Дирекция Мюзик-холла приносит по этому поводу извинения и предлагает вашему вниманию следующий номер нашей программы. Сейчас перед вами выступит метатель ножей - знаменитый и неповторимый Рамон Зарата!
Стоит посмотреть. Потрясающий тип!
Какое знакомое лицо! Я, наверняка, его где-то видел...
Сеньоры и сеньорас! Нумеро, который я сейчас имею честь перед вами исполнить, чрезвычайно опасный! Поэтому позволю себе попросить самый глубокая тишина...
Передайте мне, пожалуйста, бинокль...

x) Об этом рассказано в книге Эржe "Сломанное ухо"

x) Об этом рассказано в книге Эрже "Скипетр Оттокара"

Нынешним вечером она явно в ударе!
Как и наш Мелок!..
Может, воспользуемся случаем и навестим генерала Альказара? Мне бы хотелось его повидать...
Прекрасная идея!
Разве нам сюда?..
Думаю, что сюда...
Вы уверены, что нам сюда?..
Надеюсь. Сейчас увидим...
Куда мы пришли?
Пока не знаю...
ВХОД ВОСПРЕЩЕН
Вот кто может подсказать, куда нам идти...
Извините, уважаемый, мы ищем артистическую уборную генерала... простите, Рамона Зарата...
Это в конце коридора, комната номер 14...
Вы их, конечно, узнали?
Да... Это факир и госпожа Ямила...
Комната номер 14... В конце коридора...
Пришли!.. Нам сюда...
СПОРТ И ЖИВОТНОВОДСТВО
ТУК ТУК
ТУК ТУК
14
Войдите!
14
Добрый день, генерал Альказар!
14
Вы меня не узнаете?..

Карамба!.. Тантан!.. Мой бывший адьютанто!.. Мой амиго, какая сюрприз!.. Как я рад вас видеть опять живой и здоровый!..
А кто этот тип? Кто с вами?
Это мой друг, капитан Хаддок...
Амигос наших друзей - наши амигос!.. Очень рад, сеньор полковник, очень приятно!
Взаимно...
Не беспокойся, это не полиция...
А!.. Хорошо!..
!
Мой славный Чикито немножко нервный!.. С тех пор, как полицио хотел проверить наши въездные визы, ему всегда чудится полицио...
Ах вот оно что! Понятно...
Отметим приятную встречу! Позвольте угостить вас стаканчик агуарденте из Мексика...
Ваше здоровье, мой амиго!.. Ваше здоровье, сеньор полковник!..
За вас, мой генерал!
За вашу удачу!
Пейте осторожно, это очень крепко.
Очень крепко?!.. Пфу... Я привык, дорогой мой...
Вы, конечно, удивились, амиго, увидев, что я на сцене Мюзик-холл! Но, что делать, такова жизнь!.. Там, моя родина, была революция...
...и генерал Топека - этот старый-старый негодяй, цапнул власть. И тогда, понимаете, мне пришлось бежать через граница без денег, делать всякие профессии, а сейчас метать ножи...
Прошу прощения, но нам необходимо срочно вернуться в зал. Иначе мы пропустим выступление фокусника.
Да, вы правы!
Извините, что так быстро вас покидаем, но мой друг обязательно хочет увидеть фокусника. До свидания, мой генерал.
До свидания, мой амиго.
Быстрее! Иначе мы опоздаем к началу номера!

Вы уверены, что мы идем тем же самым путем?
Да-да...
Видите?.. Вот уже и вход в буфет...
БУФЕТ
Это декорация, гром, гром и тысяча молний!..
БУФЕТ
Посмотрим, может быть нам туда?
БУФЕТ
БАБАХ
БУБУМ
!!!
Тысяча миллионов тысяч миллиардов тысяч лафетов!
Гром, гром и молния! И все из-за вашего субчика, кинжального генерала, гром на него и молния!

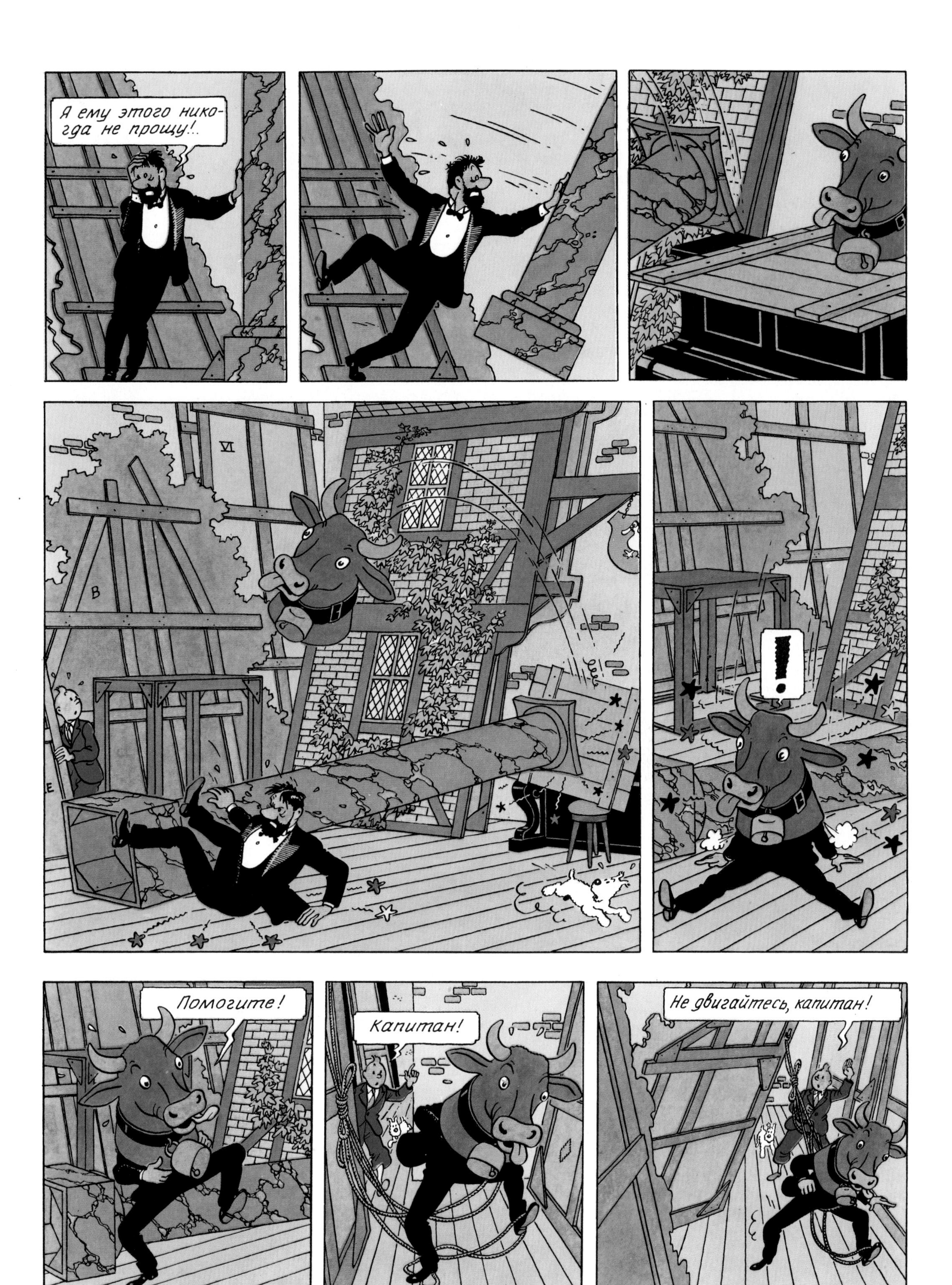
Я ему этого никогда не прощу!..
!
Помогите!
Капитан!
Не двигайтесь, капитан!

БУУМ

...Уверяю вас, дамы и господа, это уже не вода, это вино!.. Да, дамы и господа, вино!.. Пусть кто-нибудь из вас, любой, кто только пожелает, поднимется сюда на сцену и лично убедится, что...

БУУМ
ДОНГ
ДИНЬ-ДОНГ
ДИНЬ
?

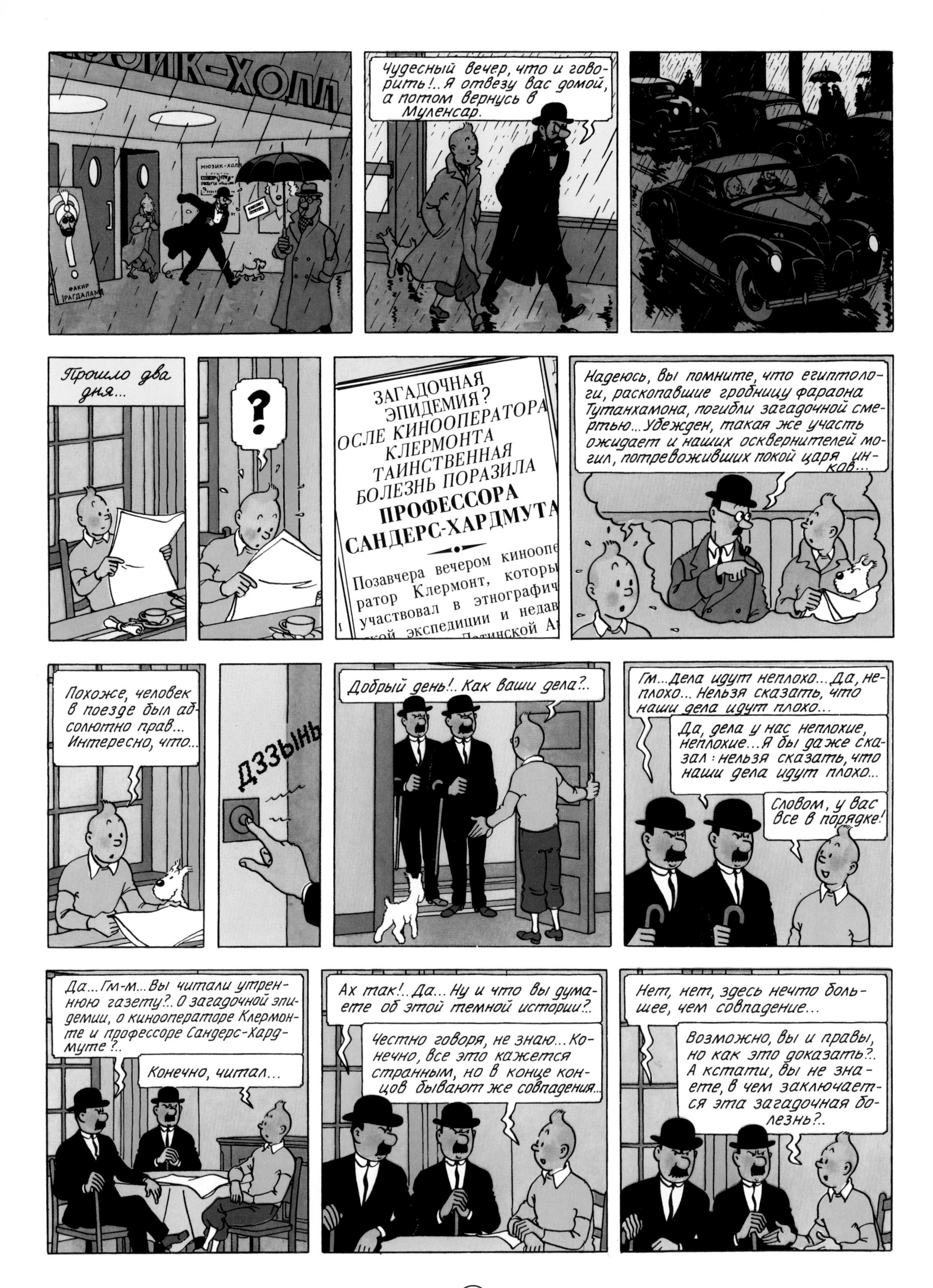

ЗИК-ХОЛЛ
ФАКИР РАГДАЛАМ
Чудесный вечер, что и говорить!.. Я отвезу вас домой, а потом вернусь в Муленсар.
Прошло два дня...
?
ЗАГАДОЧНАЯ ЭПИДЕМИЯ?
ОСЛЕ КИНООПЕРАТОРА КЛЕРМОНТА ТАИНСТВЕННАЯ БОЛЕЗНЬ ПОРАЗИЛА
ПРОФЕССОРА САНДЕРС-ХАРДМУТА
Позавчера вечером киноопе
ратор Клермонт, которы
участвовал в этнографич
экспедиции и недав
Надеюсь, вы помните, что египтологи, раскопавшие гробницу фараона Тутанхамона, погибли загадочной смертью... Убежден, такая же участь ожидает и наших осквернителей могил, потревоживших покой царя инков...
Похоже, человек в поезде был абсолютно прав... Интересно, что...
ДЗЗЫНЬ
Добрый день!.. Как ваши дела?..
Гм... Дела идут неплохо... Да, неплохо... Нельзя сказать, что наши дела идут плохо...
Да, дела у нас неплохие, неплохие... Я бы даже сказал: нельзя сказать, что наши дела идут плохо...
Словом, у вас все в порядке!
Да... Гм-м... Вы читали утреннюю газету?.. О загадочной эпидемии, о кинооператоре Клермонте и профессоре Сандерс-Хардмуте?..
Конечно, читал...
Ах так!.. Да... Ну и что вы думаете об этой темной истории?..
Честно говоря, не знаю... Конечно, все это кажется странным, но в конце концов бывают же совпадения...
Нет, нет, здесь нечто большее, чем совпадение...
Возможно, вы и правы, но как это доказать?.. А кстати, вы не знаете, в чем заключается эта загадочная болезнь?..

Собственно говоря, это не совсем болезнь... Обе жертвы были обнаружены спящими: один уснул за рабочим столом, второй - у себя в библиотеке... Такое впечатление, что их искусственно погрузили в глубокий летаргический или гипнотический сон.
Да-а... Очень странная история...
А теперь взгляните...
?
На что?.. На эти осколки стекла?..
Это хрусталь... Их обнаружили рядом с жертвами...
Нужно срочно отдать это на исследование...
Я уже отправил часть осколков в центральную полицейскую лабораторию, где их сейчас внимательно изучают.
Гм... Вот... это все, что нам известно...
Во всяком случае этого вполне достаточно, чтобы исключить гипотезу случайного совпадения. Хорошо бы узнать результаты экспертизы, полученные лабораторией...
Я немедленно им звоню!.. Вполне возможно, анализ уже закончен и...
Звоните!
Алло! Центральная уголовная полиция?.. Дайте мне лабораторию, пожалуйста... Алло, это доктор Симон?.. Говорит Дюпон... Нет, через букву "О" в последнем слоге, "О", как Отелло... Как там наш анализ?.. Как?
Что???
Профессор Любопан!!!.. Невероятно!.. Нашли спящим в ванне?!.. Да... Все те же хрустальные осколки?.. Это неслыханно!.. А что там все-таки с нашим анализом?
Ничего определенного... Могу лишь сказать, что это осколки шарообразного сосуда непонятного назначения, изготовленного из горного хрусталя. Что-то вроде большой хрустальной ампулы, внутри которой...
...наверняка находился какой-то газ, погрузивший ваших клиентов в некое подобие летаргического сна... Какой газ?.. Не знаю... Да, мы будем продолжать исследования, и как только что-то обнаружим, я немедленно вам сообщу... До свидания.
Никак опомниться не могу!.. Подумать только, еще и профессор Любопан!..
Уже трое!..

Нужно немедленно предупредить всех остальных участников экспедиции и срочно что-то предпринять для их защиты!
Как?.. Вы думаете, что... что?..
Наверняка!.. Уж если началось, то никого не пощадит. Все они в опасности! Смотрите сами... Сначала руководитель - Сандерс-Хардмут, потом Клермонт и Любопан. Кто следующий?.. На вашем месте я бы их немедленно обзвонил. Начните с Марка Шарле...
Алло!.. Алло!.. Алло!.. Алло!..
Вечно одна и та же история! Когда тебе кто-то срочно нужен, телефон не работает!
Никто не отвечает?
На вашем месте я не бранил бы телефон, а поменял трость и трубку местами...
Алло! Господин Марк Шарле?..
Алло!.. Да, это я...
Да... Да... Да, я только что прочел в газете... Как?!.. И профессор Любопан?!.. А... Нет... Что?.. Что?.. Хрустальные осколки?.. Черт побери! Выходит, он не соврал!
Кто он?.. Да какой-то индеец в Перу... Старый индеец, пьяный от листьев коки, однажды вечером рассказал мне... Впрочем, не стоит терять время, лучше при встрече...
Нет, я сам приеду к вам... Куда?.. Хорошо!.. Беру такси и выезжаю. А вы предупредите Кантоно, Гарнета и Бергамота. Скажите им, чтобы никуда не выходили из дома и держались подальше от окон!.. Да, окон!.. Я?.. Не волнуйтесь, буду осторожен!.. До встречи... !.. Выезжаю...
Скоро приедет... Похоже, он многое знает, этот господин Шарле. А еще он просил предупредить других участников экспедиции, чтобы сидели дома и не подходили к окнам!
В таком случае я немедленно звоню Кан... тоно...

Черт побери! Никто не подходит к телефону!
Пусть только попробуют!.. Их ожидает достойная встреча...
Такси!
Мне нужна улица Лабрадор, дом 26...
Пожалуйста садитесь...
471072
Алло!.. Алло, это вы, господин Кантоно?!.. Как хорошо, что я не опоздал!..
Что случилось, дорогой Тантан?.. Нет, я ничего не знаю! Я... Как?.. Но... Это невероятно!.. И Клермонт?.. И Любопан?.. Это ужасно!.. Быть осторожным?..
Предельно осторожным... Прежде всего держитесь подальше от окон... Да, окон... Это...
ДЗЫННН
АХ! КЛИНГ
КЛИНГ КЛИНГ
КЛИНГ
Алло!.. Алло!.. Господин Кантоно!.. Алло!.. Алло!.. Алло!..
Что случилось?
Алло!.. Алло!..

Что-то случилось с профессором Кантоно!.. Я должен немедленно мчаться к нему... А вы звоните Гарнету и Бергамоту, их нужно срочно предупредить!
Вот, очень кстати, сюда подъехало такси...
Наверное, это Марк Шарле... Воспользуюсь случаем... До свидания!..
Быстрее, Мелок!.. Быстрее!..
С вас восемнадцать пятьдесят, уважаемый...
?
!
Опять хрустальные осколки!..
Этот человек стал жертвой покушения. Скажите, вы где-нибудь останавливались по дороге?
Нет... Ах да!.. Всего лишь один раз, на перекрестке, на красный свет...
Видимо, тогда это и случилось... Слева от нас притормозило другое такси, и мне послышался какой-то странный звук за стеклянной перегородкой между мной и пассажиром... Вроде бы хрустнуло стекло... Но я не обратил на это внимания, и мы поехали дальше...
Понятно! Прошу вас, поднимитесь на второй этаж и расскажите все это полицейским, которые находятся наверху... Скажите им, что я поехал к профессору Гарнету...
Хорошо.

Цепочка удлиняется!
М.ШАРЛЕ УСНУЛ В ТАКСИ
ЗАГАДКА
УСТАЛЬНЫХ ШАРОВ
ИЗБИЕНИЕ
ПЕРУАНСКИЙ ИНК НОВЫЙ ТУТАНХАМОН?
ТРИ НО
ЖЕРТВ
Решительно нель
ЛЮБОПАН
М.ШАРЛЕ
КАНТОНО
МЕСТЬ
РАСКАР КАПАКА
СКОЛЬКО БУДЕТ
ХРУСТАЛЬНЫХ ША
Из семи исследователей, принимавших участие в этнографической экспедиции Сандерс-Хардмута, только двое избежали участи своих коллег. Полиция круглосуточно охраняет дома профессора Гарнета и профессора Бергамота, а также музей естествознания, директор которого господин Гарнет...
МУЗЕЙ ЕСТЕСТВОЗН
Стой!.. Или буду стрелять!
КАБИНЕТ ДИРЕКТОРА
Я должен вручить заказное письмо и посылку господину директору...
Хорошо... Проходи...
КАБИНЕТ ДИРЕКТОРА
До свидания, господин Гарнет...
Черт побери!.. Какая великолепная новость!.. Мой корреспондент на острове Ява поймал бабочку неизвестного вида и любезно прислал ее мне. Сейчас посмотрим...
...на эту новую лепидоптеру семейства чешуекрылых...
Стойте!.. Не открывайте посылку!.. Кто знает, вдруг это ловушка!.. Дайте ее мне, я сам ее открою...
Но тогда пострадаете вы!..
Это мой долг, господин директор, а долг-это долг... Я бы даже сказал: это... это-долг!..
Быстрее иди сюда! Надо проверить подозрительную посылку.
Вот пу-по-пусылка!
КАБИНЕТ ДИРЕКТОРА

Гм-м... Теперь ее следует хладнокровно вскрыть!
Именно хладнокровно!
Осторожнее!..
Осторожнее!..
КАБИНЕТ ДИРЕКТОРА
Все в порядке! Ничего опасного!.. Это просто бабочка... Но какая!..
Изумительно!..
ПИДР... ЕР, ПОЙМАН НА ЯВЕ
Строго между нами: с меня просто пот ручьями от страха!
Если между нами, я бы даже сказал: с меня просто пот ручьями от страха.
Тихо! Кто-то сюда...
Как ваши дела?..
А, это вы, Тантан!
КАБИНЕТ ДИРЕКТОРА
Сейчас все в порядке, но мы только что натерпелись страху. Вскрывали подозрительную посылку. К счастью, там была только бабочка. Посмотрите, вот она!..
Какая прелесть!
КАБИНЕТ ДИРЕКТОРА
Ну что ж, хорошо! Я вижу, дверь в кабинет господина Гарнета надежно охраняется... А окно?..
Окно?.. Это я его сторожу... Следовательно, можете быть спокойны!
Вы сторожите окно?!.. Но, в таком случае, что вы здесь делаете?
Проклятье! Правильно!.. Я...
ДЗЫННН
КЛИНГ
КЛИНГ
КАБИНЕТ ДИРЕКТОРА

Боже мой! Его тоже усыпили!
?
ХРРР ХРРР
Там! Там кто-то промелькнул и скрылся в кустах!
Алло! Уголовная полиция?.. Говорит Дюпан... Нет, через букву "А" в последнем слоге, "А", как Архимед... Да... Я?.. Я чувствую себя хорошо, спасибо... Но господин Гарнет не чувствует себя хорошо... Да, шеф... Его тоже усыпили!
Туда, Мелок!.. Быстрее!.. Быстрей!..
Давай, Мелок!.. Лови его!
КРАК
Гаавв!.. Гаавв!..
Смелее, Мелок!.. Держись!.. Я бегу к тебе!..
ГААВВ
КРАК
Я бегу!.. Не отпускай его!
?
Гаавв! Гаавв!
Кошка?!.. Весь этот шум из-за дрянной, паршивой кошки?!.. А тем временем преступник, конечно, убежал!.. Ну что с тобой поделаешь! Иди отсюда!

На следующее утро...
ЭКСТРЕННЫЙ ВЫПУСК
ТЕЛЕГРАММА
ЗАГАДКА ХРУСТАЛЬНЫХ ШАРОВ
ГОСПОДИН ГАРНЕТ, ДИРЕКТОР МУЗЕЯ ЕСТЕСТВОЗНАНИЯ, СРАЖЕН ТАИНСТВЕННОЙ ЛЕТАРГИЕЙ
КАК ПРОИЗОШЛО ПОКУШЕНИЕ
Поразительно!.. Просто невероятно!.. Еще одна жертва!.. Неслыханно!
Мне кажется, нужно брать немного левее...
Да нет же, я говорю о новой жертве, о Гарнете - директоре музея естествознания...
Еще не совсем, но уверен, что добьюсь своего...
Прекрасно. Я все понял. Тогда читайте сами...
Поразительно!.. Просто невероятно!.. Вы читали? Нет?.. Это меня удивляет. Ведь заголовки достаточно крупные... Впрочем, неважно!.. Я вам прочту...
"Таинственная история с интригующим названием "загадка хрустальных шаров" продолжает волновать общественность. Что происходит? Имеем ли мы дело с местью фанатика-индейца, решившего покарать исследователей, осквернивших могилу короля инков Раскар Капака?..
Вполне возможно. Однако в таком случае напрашивается вопрос: почему загадочный мститель не убивает, а усыпляет свои жертвы? Как известно, он погружает их в глубокий летаргический сон...
ДЗЗЫНЬ
...который, по словам врачей, не представляет угрозы для жизни, хотя может длиться месяцы и даже годы..."
Добрый день, Нестор. Капитан у себя?
Да, господин Тантан...
Гаавв! Гаавв!
Пшшш!

Дорогой друг!.. Как я рад вас видеть!
Как ваши дела?.. Как поживает профессор Лакмус?
Очень хорошо. Он читает мне вслух газету...
"...Остается только радоваться, что полиция приняла все необходимые меры, чтобы обеспечить безопасность последнего участника экспедиции, поскольку без такой защиты...
...он вскоре разделил бы участь своих несчастных товарищей. Профессор Бергамот..." Ой!..
Бергамот!.. Как?.. Последний из семи - это он?.. Надо же!.. А ведь я его прекрасно знаю!.. Мы были близкими друзьями, когда учились в университете...
Вы знакомы с профессором Бергамотом - знаменитым специалистом по Латинской Америке?.. А знаете ли вы, что у него дома хранится мумия Раскар Капака?..
Задавака?.. Чепуха, он любезен и добр!.. Хотите, я вас с ним познакомлю?..
Благодарю вас, был бы счастлив...
Сейчас?.. Прямо сейчас?.. Впрочем, извольте... Едем...
Похоже, к нам прибыли какие-то визитеры...
Мы хотели бы повидать профессора Бергамота...
Хорошо... Ваши документы...
Хаддок... Тантан... Лакмус... Ждите здесь. Я должен узнать примут ли вас.
Черт возьми! Однако к вам не так-то легко попасть!
Ничего не поделаешь, таковы инструкции...
Все в порядке! Эти господа могут войти...

Черт побери! Профессора здорово охраняют!
Тысяча лафетов! Какая сегодня жара!
Действительно, очень жарко. Мне кажется, будет гроза...
ТУК ТУК ТУК
Войдите!
Можно войти, господин профессор?.. это гости, о которых я вам докладывал...
Добрый день, Ипполит!
Трюфон!..
Мой дорогой, любимый Трюфон!
Извини, дорогой Ипполит, но я привел к тебе своих друзей.
Добро пожаловать, господа!
Позволь, я их тебе представлю: господин Хаддок, капитан дальнего плавания...
Очень рад, капитан.
А это мой юный друг Тантан, известный репортер...
Гром и молния! Какая хватка!
Очень рад.
Ваауу! Ваауу!
Ну, что там случилось, Мелок?
?

ХА-ХА-ХА-ХА-ХА-ХА!
Вашу собаку испугал мой приятель Раскар Капак!.. Вот он, перед вами - знаменитый Раскар Капак, Тот-кто-вызывает-небесный-огонь!
РРРАХ
Забавное совпадение! Я рассказываю вам о Раскар Капаке, который вызывает с неба огонь, и огонь тут как тут. Взгляните...
У вас, кажется, машина с откидным верхом?.. В таком случае советую немедленно перегнать ее куда-нибудь в укрытие... В наших местах случаются невероятно сильные грозы.
Спасибо. Можно я поставлю ее в гараж?
Вы слышали?.. По-моему, это был выстрел!
БАХ
Кто-то бежит!.. А-а, это один из полицейских, которые охраняют дом...
Быстрее! Посмотрим, что случилось...
Это где-то там, у ворот!
БАХ

Кто здесь стрелял?
Никто не стрелял... Это ваша машина всех перепугала... Вы оставили ее под палящим солнцем и, как видите, лопнули две шины!..
Ну?!.. Что случилось?
Все в порядке! У машины ваших гостей лопнули две шины...
Моя машина стоит на двух ободах, а вы считаете, тысяча лафетов, что все в порядке?!..
ТРАХ
Тысяча миллиардов тысяч лафетов! Гром и молния!
Что теперь делать?.. Две шины!.. А у меня только одно запасное колесо!
Нужно позвонить на станцию техобслуживания, а если из-за грозы они не приедут, останетесь у меня ночевать...
Ну началось! Вот это дождь!.. Скорее домой!
БУМ РРУМ БУБУМ
Извини, Ипполит, но, кажется, стучат в дверь.

Все в порядке?.. Ну и прекрасно!.. И кстати, благодаря этой ложной тревоге мы смогли убедиться, что дом надежно охраняют.
Конечно, конечно... И тем не менее вам следует быть предельно осторожным.
Уж коли мы заговорили об этом, скажите, а что вы лично думаете по поводу этой истории с хрустальными шарами?
Что я думаю об этом?.. Откровенно говоря, совсем не думаю... Правда, написал статью...
...посвященную оккультным наукам древнего Перу, которые, похоже, принимают участие в нашей истории, однако, не считаю, что она в полной мере объясняет занимающую всех загадку...
Взгляните сюда... Это перевод некоторых надписей, обнаруженных в гробнице Раскар Капака... Присаживайтесь и читайте...
"Через тысячу лун сюда придут семь иноземцев с бледными лицами и осквернят святое жилище Того-кто-вызывает-небесный-огонь, и увезут тело великого инка в далекую страну. Но Божье проклятие последует за ними и будет преследовать их за морями и горами..."
Это не может быть простым совпадением!
Вы так считаете?.. Читайте дальше...
РА

БАНГ

Боже мой!.. Мумия!

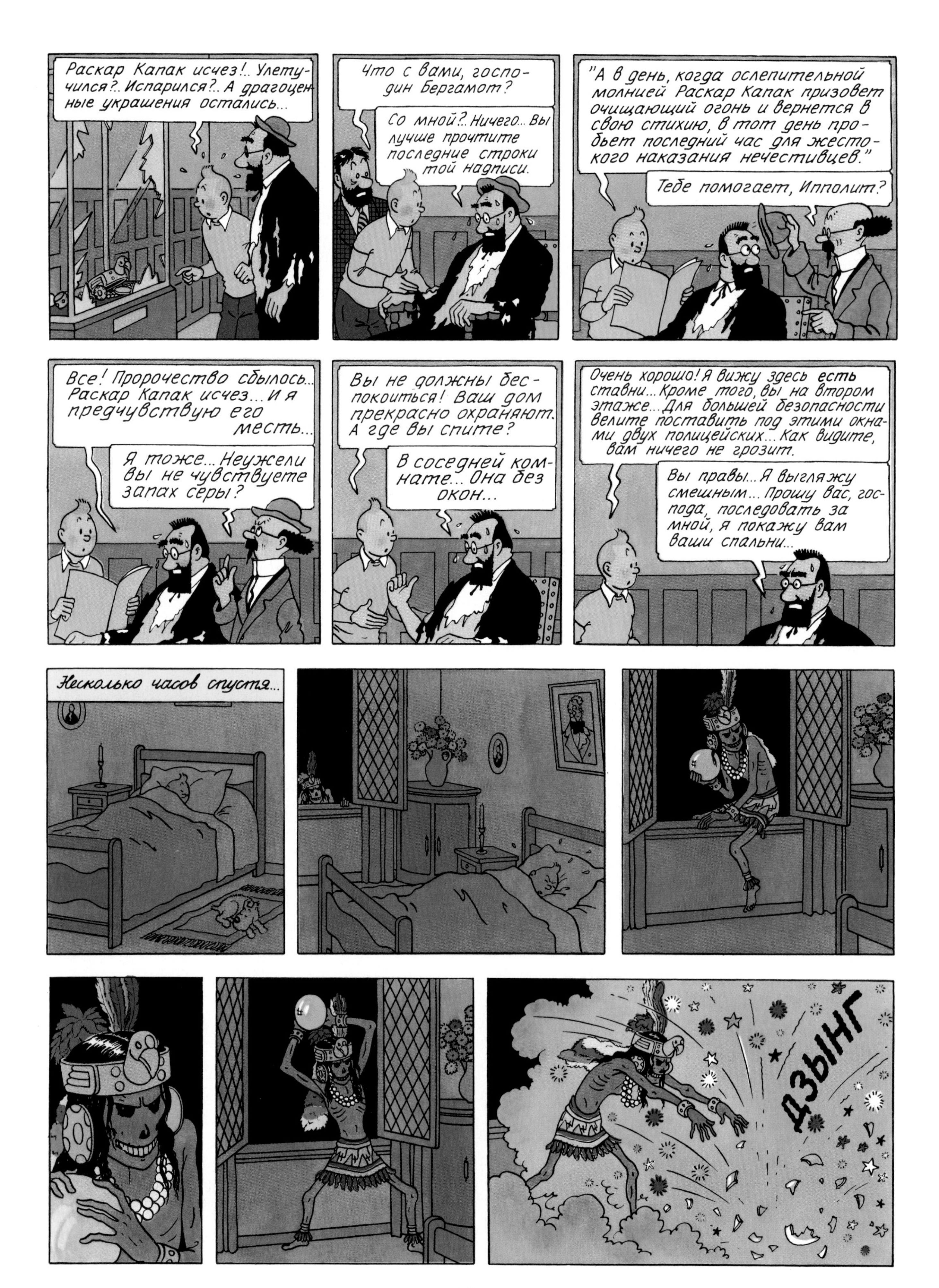
Раскар Капак исчез!.. Улетучился?.. Испарился?.. А драгоценные украшения остались...
Что с вами, господин Бергамот?
Со мной?.. Ничего... Вы лучше прочтите последние строки той надписи.
"А в день, когда ослепительной молнией Раскар Капак призовет очищающий огонь и вернется в свою стихию, в тот день пробьет последний час для жестокого наказания нечестивцев."
Тебе помогает, Ипполит?
Все! Пророчество сбылось... Раскар Капак исчез... и я предчувствую его месть...
Я тоже... Неужели вы не чувствуете запах серы?
Вы не должны беспокоиться! Ваш дом прекрасно охраняют. А где вы спите?
В соседней комнате... Она без окон...
Очень хорошо! Я вижу здесь есть ставни... Кроме того, вы на втором этаже... Для большей безопасности велите поставить под этими окнами двух полицейских... Как видите, вам ничего не грозит.
Вы правы... Я выгляжу смешным... Прошу вас, господа, последовать за мной, я покажу вам ваши спальни...
Несколько часов спустя...
ДЗЫНГ

!!!
Мой Бог, какое счастье, это всего лишь сон!.. Ага, должно быть ветер распахнул окно!
А все-таки какой кошмарный сон!
НА ПОМОЩЬ!
Это голос капитана!
БУУМ
Что случилось, капитан?.. Почему вы зовете на помощь?..
Мне... мне снился страшный сон!.. Этот ужасный Раскар Капак вошел в мою комнату... Он поднял огромный хрустальный шар и с размаха швырнул его на пол...
Невероятно! Мы видели одинаковый сон!..
ОУУ ОУУ
Что там еще стряслось?..
Берегитесь!.. Он там!.. Он идет за мной!.. Он приближается!..

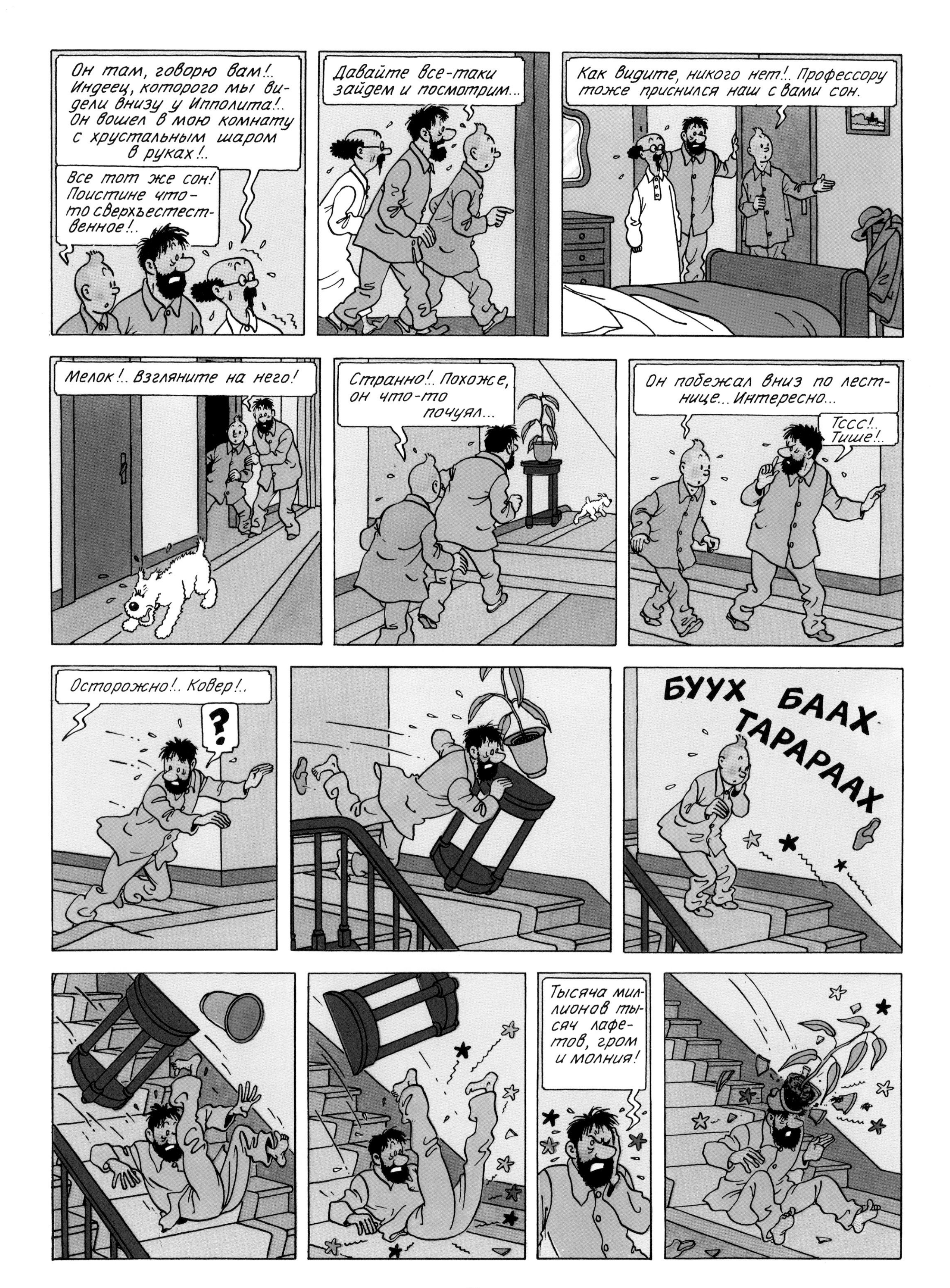
Он там, говорю вам!.. Индеец, которого мы видели внизу у Ипполита!.. Он вошел в мою комнату с хрустальным шаром в руках!..
Все тот же сон! Поистине что-то сверхъестественное!..
Давайте все-таки зайдем и посмотрим...
Как видите, никого нет!.. Профессору тоже приснился наш с вами сон.
Мелок!.. Взгляните на него!
Странно!.. Похоже, он что-то почуял...
Он побежал вниз по лестнице... Интересно...
Тссс!.. Тише!..
Осторожно!.. Ковер!..
?
БУУХ БААХ ТАРАРААХ
Тысяча миллионов тысяч лафетов, гром и молния!

Боже мой, капитан, вы не разбились?..
Похоже, вы счастливо отделались!..
Могли серьезно покалечиться!..
Тише, гром и молния!
Ооооуууу! Вааааууууу!
В чем дело?
Не знаю... Моя собака вдруг дико завыла у двери в спальню господина Бергамота...
Господин Бергамот... Господин Бергамот...
Не отвечает... Давайте взломаем дверь!
БУУМ
БУУМ
КРАК
Боже мой! Только бы...
Ложная тревога! Просто он крепко спит...
?
ХРУП
Мы опоздали!.. Смотрите, хрустальные осколки!

Но этого не может быть!.. Ведь охраняется каждая щелка...
Господин Бергамот! Господин Бергамот!
Ничего не поделаешь... Хрустальный шар усыпил свою последнюю жертву...
Хррап... Хррап...
Скорее! К окну!.. Преступник, должно быть, выскочил в окно!
Исключено!.. Окно и ставни плотно закрыты!..
Ты никого здесь не видел?
Нет, шеф, а в чем дело?
Ничего не понимаю!.. Каким же образом он сумел убежать?
Смотрите!.. Исчезли драгоценные украшения Раскар капака!
ГААВВ ГААВВ
Камин!.. Вот путь, которым ускользнул негодяй!.. Он вскарабкался по каминной трубе!
Гаавв! Гаавв!
Если он удрал через трубу, трудно даже себе представить на кого он сейчас похож.
?

Вы правы! Он явно улизнул через камин!
Крыша!.. Следите за крышей!..
Хорошо, шеф!..
Там!.. Там!.. Видите?.. Он убегает!..
Точно в цель!
По-моему, он упал!.. Нужно проверить...
Вот, вроде бы, то самое место...
Ищи, Мелок, ищи...
Я бы с радостью, однако...
Черт побери!.. Я совсем забыл, что у него вся морда в саже, и он наверняка потерял чутье!
АААААААААХ!

Это кричит профессор Бергамот!
Тысяча лафетов! Его убивают!.. Быстрее туда!
Спасите!..
АААААХ!
Пощадите!.. Пощадите!..
Они возвращаются!.. Вот они!.. Аaaх! Они меня задушат!
Прочь, демоны!.. Спасите!.. Они хотят меня сожрать!..
Успокойтесь, господин Бергамот, успокойтесь!.. Здесь только мы, ваши друзья...
Бесполезно!.. Он снова впал в эту проклятую летаргию...
Не повезло, этот тип умудрился удрать!.. Но что, любопытно, могло там еще случиться?..
Он страшно кричал, какие-то дикие вопли, похоже, ужасно страдал... И вдруг замолчал, уснул... Надо бы вызвать врача...
На следующее утро...
Гм... Да... Какой великолепный, просто классический случай глубокого летаргического сна... Мышцы полностью расслаблены, конечности неподвижны...
ОААХ!

Опять, опять они идут ко мне!.. Я не выдержу этих пыток!.. Спасите!..
Они все ближе!.. Уйдите, мучители!.. На помощь!.. На помощь!..
ТУК ТУК ТУК
Минуточку...
А, это вы?.. Добрый день!.. Ипполит у себя?..
Да, но он не может с вами говорить. Он без сознания, в каком-то бреду...
В саду?.. Прекрасно, прогуляемся вместе...
Где же он?
Я его не вижу.
Очень просто. Сейчас я его разыщу с помощью маятника!
А ну-ка, ну-ка, интересно!
Странно, весьма необычно!.. Не знаю...
Ничего страшного! Зонтик, очки, шляпа, маятник... можно продолжать поиски!
Ага! Здесь явно какое-то отклонение!.. А ну-ка, проверим, что там под этим кустом...
?

Так-так-так, что же это такое?..
Браслет!.. Черт возьми, но я его уже видел! Он был у мумии на руке!.. Любопытно, каким это образом он оказался здесь?
Великолепная вещица!.. Чистое золото, вне всяких сомнений!.. Какой будет сюрприз, когда они увидят этот браслет у меня на руке!..
Он действительно великолепен... весьма оригинальная вещь...
Через несколько минут...
Лакмус?.. Он гуляет в саду... Наверняка опять увлекся своим маятником... Я сейчас схожу за ним...
Куда же он забрался, наш дорогой Лакмус?
Странно, ведь он сказал, что будет гулять в саду...
Вы один?.. А где Лакмус?..
Я его не нашел... Наверное, уже вернулся и сидит у себя в комнате... Пойду, посмотрю...
Его там нет... Ничего не понимаю...
Вернемся в сад. Надо думать, он забрел со своим неразлучным маятником куда-нибудь в заросли...
Лакмуууус!.. Лакмуууус!..
Вы же знаете, кричать бесполезно.
Да где он прячется в конце концов!.. Лакмуууус!!
Лакмуууус!
?

Капитан!.. Посмотрите вверх!
Кровавый след руки!.. Откуда?.. Что это означает?.. Кто же...
Кто?.. Конечно, ночной грабитель!.. Вот почему его так и не нашли!.. Он был ранен, за ним охотилась полиция и, не видя выхода, он забрался на дерево...
В таком случае... возможно, он все еще там...
Вы правы... Залезу на дерево, посмотрю...
Будьте осторожны!.. Возьмите мой пистолет...
Хорошая мысль! Давайте...
Ну и что?..
Ничего! Пока ничего не вижу...
ТРАК
Ничего страшного, капитан! Всего лишь сухая ветка...
Ничего страшного?!.. Это как сказать...
Здесь никого нет... Я спускаюсь...
Капитан!.. Смотрите!.. Справа от вас!.. Еще немного правее!.. Еще... Теперь видите?..

Любимый зонтик Лакмуса!
Это его зонтик, правильно?
Конечно!.. Что, по-вашему, здесь...
Смотрите! Видите, как утоптана трава?..
А вот и сломанные ветки... Здесь явно дрались, капитан!
Дрались?!.. С Лакмусом?.. Лакмус подрался?
Возможно, он и не дрался, но наверняка, отбивался... Я догадываюсь, что здесь случилось... Бедный Лакмус пришел сюда, когда бандит еще сидел на дереве, и он прыгнул на Лакмуса сверху...
Но, тысяча лафетов, почему?.. Зачем ему понадобилось нападать на безобидного Лакмуса?
Не знаю, капитан, не знаю... Я знаю лишь, что Лакмус исчез, и мы обязаны его найти...
МЕЛОК! МЕЛОК! МЕЛОК!
Мелок! Мелок! Мелок!
Дорогой мой дружище, обещаю, я верну тебе эту кость, но сейчас постарайся отыскать следы нашего милого Лакмуса...
Ищи, Мелок, ищи! Быстрей ищи!..
Неужели он здесь?..
Осторожно, капитан!.. Осторожно!.. Ложитесь!..
Что?.. Что случилось?..
Ложитесь!
БАХ БАХ

Дикари!.. Негодяи!.. Безмозглые неучи!.. Босяки!.. Эктоплазмы!.. Редиски!..
Капитан!.. Я постараюсь незаметно подобраться к дому, а Вы стреляйте время от времени... Вот Ваш браунинг... Ловите!..
Хоп!
Спасибо!
Ага!.. А сейчас, голубчики, посмотрим кто кого!
БАХ
КЛАК
БАХ
БАХ
Работа закончена, и я имею право забрать свою кость... Будем осторожны и хладнокровны!..
БАХ
Хи-хи-хикс! А все-таки она у меня!
БАХ

БАХ

Быстрее, капитан!
Бегу!

Они удрали!

По шинам!

КЛИК

Ваш браунинг, капитан!.. У меня пустая обойма!
Как и у меня!

Беда!.. Они похитили Лакмуса!..

Куча идиотов!.. Вампиры!.. Ископаемые!.. Скоты!..
Поспешим, капитан... Еще не все потеряно... Я запомнил номер машины... Нужно торопиться!
Наши полицейские немедленно сообщат этот номер в жандармерию...
Ах, подлецы!
Алло, это главное управление?.. Говорит Шобе... Да... Только что похитили друга господина Бергамота, профессора Лакмуса... Увезли на машине... Запишите ее номер и описание примет...
№ 317.413
Главное полицейское управление приказывает всем подразделениям жандармерии приступить к розыску и немедленно арестовать пассажиров черного лимузина марки "опель-олимпия 38", номерной знак 317413, выехавшего из Палисси в сторону Шавани...
ЖАНДАРМЕРИЯ
Подлецы! Похитили Лакмуса!.. Но почему?.. Кто может мне объяснить, зачем понадобилось похищать бедного Лакмуса?..
ДЗЫНННЬ
ДЗЫНННЬ
Алло!.. Да, это Шобе... Это вы, шеф?.. Да... Будете держать нас в курсе событий?.. Отлично!
Все в порядке!.. Жандармы ставят на всех дорогах заграждения!.. Теперь они от нас не уйдут...
Черт бы их побрал! Жандармы!..
317413
БИБИБИБИ
317413
Негодяи!
Алло!.. Жандармерия?.. Говорит Доримон... 28-й километр... Эти мерзавцы чуть не сбили нас и на полной скорости умчались в Шавани... Уже поставили заграждение?.. Хорошо...

К нам приближается какая-то машина...
Вы случайно не видели черный лимузин марки "опель-олимпия"?..
Черный лимузин?.. Не знаю... Когда я за рулем, я, кроме дороги, ничего не вижу.
Идет еще одна машина...
25707
Черный лимузин?.. Опель?.. Нет, не видел... Или не помню...
Хорошо... Можете проезжать...
Странно!.. Куда же они делись?..
Сейчас проверим!.. Мы отправляемся на разведку...
Похитить Лакмуса!.. Куча бандитов!.. Но почему именно Лакмуса?.. И зачем только он, гром и молния, отправился гулять в этот чертов сад?!..
Сейчас мы все узнаем...
Как?.. Вы ее не видели?.. Но она давным-давно проскочила мимо нас!.. Чуть не задавила!
!

Что за ерунда?.. Куда они могли исчезнуть?.. Ага, вот какой-то фермер. Спрошу у него...
Черная машина?.. Не знаю, какую машину вы ищите, но какая-то машина свернула с дороги и заехала в тот лес... Это было недавно, часа не прошло...
Большое спасибо.
!
ДЗЫННЬ ДЗЫННЬ
Алло!.. Да!.. Да... Ее нашли?.. Это великолеп... Как?.. Пустая!..
Капитан, нужно немедленно ехать туда!.. Возможно, мы что-нибудь поймем на месте...
Шайка каналий!.. Пираты!.. Башибузуки!..
Значит ее обнаружили здесь? Просто брошенной?
Да, это так, но далеко они не уйдут. Весь район окружен полицией, и в лесу началась облава... Они похитили одного из ваших друзей?
Да, Лакмуса, несчастного Лакмуса!.. Чудесного человека!.. Золотое сердце!.. И негодяи его похитили!.. А почему?.. Почему, гром и молния?.. Вы можете мне объяснить?
Я?.. Нет...
Ну, что там, Шерлок Холмс?.. Что-нибудь нашли?..
Может быть...
Вы сказали, капрал, что стояли возле заграждения, правильно?.. В таком случае вы, должно быть, видели большую машину бежевого цвета?..
Большую машину бежевого цвета?.. Подождите, кажется, вспоминаю...

Да, вы правы!.. Такая машина проезжала... Бежевый лимузин... Как же, как же, ведь это я ее остановил...
Надеюсь, вы запомнили ее номер?
Нет, зачем?.. Но погодите, я сейчас все вспомню... Тот, кто сидел за рулем, был, вроде бы, иностранец, испанец или бразилец, не могу точно сказать... Довольно толстый, смуглый, черные усики, очки в черепаховой оправе...
А другие?.. Ведь в машине было несколько человек?
Правильно... Рядом с водителем сидел какой-то мрачный тип и тоже явный иностранец: костистое лицо, нос с горбинкой, тонкие губы... На заднем сидении было еще двое мужчин, но я посмотрел на них мельком и не разглядел...
Ну что поделать!.. Можете снять оцепление и прекратить облаву... Бесполезно! Похитители уже далеко...
Откуда вы, собственно, все это знаете?
Откуда я знаю?.. Посмотрите на следы... Вот отпечатки шин брошенного "опеля"!.. А у этих шин совсем другой рисунок - это следы автомобиля, который их здесь поджидал...
Тысяча лафетов, похоже, вы правы!.. Но как вы догадались, что машина бежевая?
Взгляните туда...
Видите?.. На коре остались крошечные осколки бежевой краски... Дорога здесь узкая и, когда они разворачивались, машина задела дерево крылом...
Вот бандиты!.. Значит они поменяли машину?
Идем, капитан, нужно срочно сообщить о наших находках. Может быть, их еще сумеют перехватить...
На следующий день...
Посмотрим, что пишут в газетах...
"Похитители профессора Лакмуса увезли его в бежевом лимузине... царапина на крыле... приметы... возможно, латиноамериканцы..." Все правильно!.. "Всех, кто располагает любыми сведениями о похитителях, просят срочно обратиться в ближайшее отделение полиции или жандармерии..."
Прекрасно! Значит еще есть надежда.
ДЗЫНННЬ
ДЗЫНННЬ
Алло!.. Это говорит Дюпан... Тот, что через "А" в последнем слоге... Мне кажется, вам стоит посетить госпиталь, где находятся наши семеро исследователей... Там происходят очень странные вещи...

Неужели настолько серьезно?.. Не может быть!.. Да... Хорошо, немедленно иду.
ГОСПИТАЛЬ
Происходит нечто абсолютно беспрецедентное... Ежедневно, в одно и то же время, все семеро несчастных впадают в необъяснимое исступление... Впрочем, вы сами можете увидеть, время приступа приближается...
Наш странный случай привлек внимание крупнейших светил медицинской науки. Они в палате и ожидают начала приступа...
Вот наши больные... Сейчас увидите...
Простите, доктор, но они вполне спокойны.
В данный момент, безусловно... Но ждите, ждите, сейчас начнется... Вот!
?

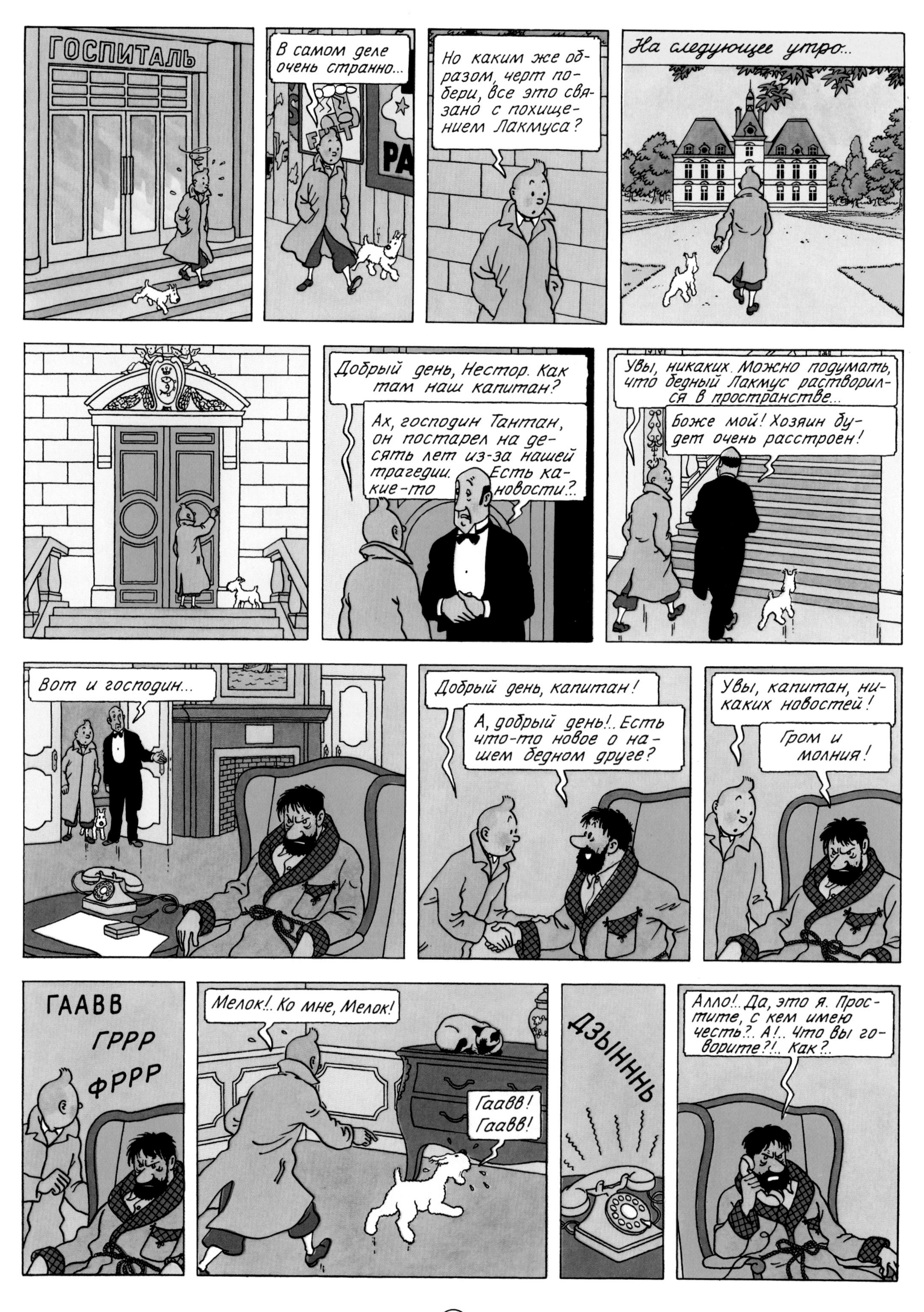
ГОСПИТАЛЬ
В самом деле очень странно...
Но каким же образом, черт побери, все это связано с похищением Лакмуса?
На следующее утро...
Добрый день, Нестор. Как там наш капитан?
Ах, господин Тантан, он постарел на десять лет из-за нашей трагедии. Есть какие-то новости?..
Увы, никаких. Можно подумать, что бедный Лакмус растворился в пространстве...
Боже мой! Хозяин будет очень расстроен!
Вот и господин...
Добрый день, капитан!
А, добрый день!.. Есть что-то новое о нашем бедном друге?
Увы, капитан, никаких новостей!
Гром и молния!
ГААВВ
ГРРР
ФРРР
Мелок!.. Ко мне, Мелок!
Гаавв! Гаавв!
ДЗЫНННЬ
Алло!.. Да, это я. Простите, с кем имею честь?.. А!.. Что вы говорите?!.. Как?..

Бензоколонка?.. Да... Да... Вы уверены?.. Куда, вы говорите, они уехали?.. Гром и опять гром и молния!..
!?
Алло!.. Алло!..
Да оставь ты эту кошку раз и навсегда в покое!..
В дорогу, тысяча лафетов!
?
Что случилось, капитан, в чем дело?
Капитан!.. Капитан, куда вы?..
ХЛОП
Капитан!..
ХЛОП
Капитан!.. Капитан!..
Господин, это я, Нестор... Не отвечает!.. Если бы я мог, если бы я осмелился...
Заглянуть в замочную скважину?.. Не стесняйтесь!
Вы что-нибудь видите?
Ничего... Я...
?
В дорогу!..

Куда вы направляетесь, капитан?
Выпить рюмочку на дорогу. Я мигом, на скорую руку, и в путь!
!
Гаавв! Гаавв!
Мелок!.. Ко мне!
Гаавв! Гаавв!
!
?!?
Мелок, Мелок, что ты опять натворил!
КЛАК
Мелок!.. Ко мне, Мелок!
Стой, Мелок, стой!

Тем временем...
Еще одну... Последнюю...
Мой бедный друг, что с тобой случилось?
За твое здоровье, дорогой Лакмус! Клянусь, мы разыщем тебя! Живым или мертвым!
Всегда держите западнее, капитан!
Будь так добр, веди себя прилично... Иначе поводок и намордник! Понял?!..
Что там еще?.. Хочешь пить?.. Хорошо, иди...
М-м-м-м-м!.. Вот это, я понимаю, вода!
?

Прошло еще несколько минут...
А теперь, капитан, может быть, вы, наконец, объясните мне куда мы едем?
В Сен-Назер!
Звонили из полиции... Бежевую машину опознал работник бензоколонки в Сен-Назере, где бандиты заправились, а потом уехали в сторону порта. Надо думать, похитители Лакмуса хотят покинуть страну...
...и намерены сесть на какое-то судно. Вот тут-то мы их и нагоним, тысяча лафетов, и вырвем Лакмуса из рук этих варваров, этих вампиров, этих... Черт побери, даже на душе как-то легче стало... Вы только представьте: Сен-Назер, порт, набережная, океан, соленые брызги, которые хлещут в лицо...
Что касается брызг, капитан то советую – приготовьтесь!
Тысяча лафетов!.. Помогите мне, иначе мы насквозь промокнем!
Ну как?..
Что-то заело, гром и молния!.. Не поднимается... Сейчас попробую изнутри...
Тысяча миллионов тысяч лафетов!
Я закрепил!
Ну, наконец-то!

Я вымок до последней нитки!
Как всегда, не везет!
Я выжал все, что мог, и вроде бы, чуточку лучше...
74136
Бандиты!.. Лихачи убогие!.. Скоморохи!.. Гонщики безмозглые!.. Скоты!.. Паразиты!..
Болваны!.. Вафли!.. Дубье!.. Зулусы!..
В дорогу, капитан, в дорогу, иначе мы никогда не приедем...
Мы будем в Сен-Назере рано утром, и сразу же заедем в полицию. Возможно, появились новые сведения...
На следующее утро...
СЕН-НАЗЕР
Нет, господа, ничего нового... Работник бензозаправочной станции действительно видел эту машину, но был ли в ней ваш друг-неизвестно!.. С тех пор никаких новостей...
Мы продолжаем поиски -это все, что мы можем сделать... По-моему, нельзя надеяться, что... Извините...
Алло!.. Алло!.. Да, это комиссар полиции... Да... Есть что-то новое?.. Что?.. В порту?... Надо же!..

Вы явились как нельзя более кстати, господа!.. В порту только что извлекли из воды машину бежевого цвета, и если вы готовы сопровождать меня, то сможете ее осмотреть...
Обязательно, комиссар...
Швартовавшийся траулер вдруг задел неизвестный подводный объект. Мы его подняли...
Так... Хорошо... Вы ее осмотрели?.. Номерной знак, номер двигателя, что-нибудь еще?..
Увы, комиссар, преступники не оставили никаких улик... Даже сбили зубилом номера двигателя и шасси! А поскольку машина серийная, стандартный выпуск, вряд ли можно надеяться...
Да, понимаю...
Во всяком случае теперь у меня нет сомнений, что похитители господина Лакмуса, избавившись от машины, немедленно сели на какой-то корабль. Именно здесь, в Сен-Назере.
Да... Пожалуй... Может быть...
Мы немедленно передадим описание внешности вашего друга на все лайнеры, которые отплыли из Сен-Назера после двенадцатого, и будем ждать результатов...
Обязательно сделайте это, комиссар, и держите нас в курсе...
А нам-то от этого какой толк, от этой радиопереписки?
Вы правы...
Вот и еще один лайнер уходит в Южную Америку... Как знать, может похитители там, на борту, вместе с Лакмусом?.. Бедный Лакмус!
Черт возьми!.. Кого я... Да нет же, конечно, это он!
Стой!.. Ты куда?..
Полиция!

Добрый день, генерал!
Бог мой!.. Тантан! Мой амиго!
Вы опять уезжаете на гастроли, генерал?
На гастроли?.. Карамба! Я возвращаюсь своя родина!.. Покончено с Мюзик-холл, покончено... У меня нет партнера!
Больше нет партнера?.. А где же Чикито?
Уехал!.. Исчез!.. Сбежал!.. Уже десять дней... О нет, никаких упреков... Когда мы плыли в Европу, он говорил... он... как это... заранее сказал, что однажды меня покинет. Не надо волноваться, сказал Чикито, не надо искать... Так и случилось...
Уже десять дней... значит, двенадцатого... Любопытно!.. Скажите, а Чикито настоящий индеец?
Еще бы не настоящий!.. Святая Мария!.. В старый Перу Чикито был бы король, наследник-король!..
Как?.. Он из царского рода инков?.. Вы уверены?
Полная уверенность!.. Чистая раса... нет, племя, индейский народ кечуа... Чикито - это в Мюзик-холл. Его зовут Рупак Инка Уаку.
Рупак Инка Уаку... Вот оно что!.. Вот он - худой человек рядом с водителем в бежевой машине!..
Какая бежевая машина?
Скажите, генерал, вы не видели вместе с Чикито довольно толстого человека в очках с черепаховой оправой, черные усики?.. Скорее всего, перуанец...
Никогда! Он никогда не видел, никогда не говорил... Только мы вместе!
ДУУУУУУУ
Карамба! Пора вас покинуть... Прощайте, мой амиго!.. Быть может, когда-нибудь встретимся...
Счастливого пути!
Поживее! Поживее!
С кем это вы беседовали?
С генералом Альказаром...
...который сообщил мне две любопытные вещи о Чикито, вы его помните?.. Во-первых, Чикито исчез, причем двенадцатого, а вечером того же дня, вернее, ночью, усыпили Бергамота и украли драгоценные украшения...
А во-вторых, Чикито вовсе не Чикито! Его зовут Рупак Инка Уаку, и он потомок царского рода инков!
Что???
Какие-то странные совпадения, очень странные... Что вы думаете по этому поводу?
Стойте!.. Остановитесь!.. Осторожнее!..
?

Опустите меня, тысяча лафетов!.. Опустите немедленно!
Безмозглые!.. Альпийские идиоты!
Простите, капитан, я...
Вафли маринованные!.. Эктоплазмы!
Все обошлось, идем!
Нужно немедленно сообщить комиссару все, что рассказал генерал Альказар об этом загадочном Чикито...
Большое спасибо, я все записал... Теперь мы будем искать и Чикито, поскольку вполне правдоподобно, что он замешан в этом деле... Как я и обещал, буду постоянно информировать вас о ходе расследования...
Как говорится, выполнили долг... А что мы будем делать дальше, капитан?
Понятия не имею.
Кажется, у меня есть идея...
Говорите...

Почему бы нам не повидаться с вашим другом, капитаном Честером?.. Вы говорили вчера, что его судно, кажется, "Вальми", стоит сейчас в Ла-Рошели?..
Великолепная мысль! Поехали...
Честер писал, что "Вальми" пришвартовано у восемнадцатого пирса... Но где это?.. Ага, сейчас узнаем...
"Вальми"?.. Вам не повезло! Они ушли сегодня утром во время отлива...
Нам действительно не везет!.. Гром и молния! Было бы утешительнее, если бы мы хоть что-то знали о Лакмусе...А у нас-ничего! Ни следов, ни надежды...
Да, не везет!
Ойййй!..
Обычный мальчишеский трюк!.. Положили кирпич под старую шляпу!
Ойййй! Ойййй! Ойййй!
Вот они, капитан, это их работа!
Проказники!.. Бандиты!.. Вандалы!..
Капитан! Капитан! Остановитесь!.. Это очень опасно!
Да, вы правы... Все равно они уже далеко!
Но если я когда-нибудь отловлю этих фанфарончиков, они никогда не забудут капитана Хаддока...
БУУХ
ПЛЮЮХ
?

Уф!.. Счастливо отделались!
Что ты притащил, Мелок?.. Шляпу?..
Честное слово, он принес шляпу, которую вы пнули ногой!
Вот!.. И больше не трогай эту дрянь!
Ко мне, Мелок!.. Ко мне!.. Да оставь ты эту шляпу в покое!
Ах вот как! Не хочешь слушаться?..
Довольно! Мы больше не играем!
Надеюсь, ты не прыгнешь за ней в воду...
?
Ко мне, Мелок!.. Сюда!.. Идем...
Гаавв! Гаавв!
ПЛЮЮХ
!
!
Что такое?.. Да ты что, издеваешься?..
Упрямый дурак!.. Зачем тебе нужна эта шляпа?.. Хочешь, чтобы я ее одел?..
И стал похож... Черт возьми!.. Этого не может быть!..
!

Капитан!.. Капитан!.. Это шляпа Лакмуса!
Старая любимая шляпа нашего друга!.. Вот почему Мелок упрямился... Видите, здесь инициалы!
Т.Л., то есть Трюфон Лакмус!.. Следовательно...
Следовательно, Лакмуса увезли из Сен-Назера в Ла-Рошель! Отсюда они и уплыли... Но куда? И как называется корабль? Вот что необходимо узнать.
А как это сделать?
Мне кажется можно... Давайте, капитан, разыщем мальчишек, которые сыграли с вами злую шутку со шляпой.
Отличная идея!.. И я покажу этим юным мерзавцам где раки зимуют!
Напротив, капитан, вы будете сама доброта!.. Не забывайте, спасибо им, мы нашли шляпу Лакмуса. Теперь нужно узнать, где обнаружили ее мальчики.
Вы правы.
Спасибо тебе, дружок, за шляпу, ты нам очень помог. Теперь окажи другую, тоже важную услугу. Найди двух мальчишек, которые от нас убежали. Помнишь, ты еще погнался за ними?..
Через час...
?
Ты куда?.. Ты что, сдурел?
Привет, сорванец!
!
Успокойся, тебе ничего не будет, если честно расскажешь, когда и где вы нашли эту шляпу.
Шляпу?.. Сейчас скажу... Это было утром, мы играли на семнадцатом причале, а на "Блэк кэт" грузили здоровенные ящики...
Когда их подняли, я и увидел на земле эту расплющенную шапченку... Только не думайте, это не я подстроил, это мой товарищ...
Не волнуйся, шутка была весьма удачной... Вы согласны, капитан?..
А теперь быстрее к начальнику порта!.. Он должен знать, когда привезли эти ящики, раздавившие шляпу Лакмуса.
Ящики с грузом для "Блэк кэт"?.. Их доставили с железнодорожной станции четырнадцатого...
Спасибо. А вы можете сказать какие суда тогда стояли у семнадцатого пирса?

Printed in Belgium by Casterman Printers s.a., Tournai.
D. 1994/0053/26

Продолжение в книге "ХРАМ СОЛНЦА"